JE SUIS LOUNa

et je suis une artiste

Texte : Bertrand Gauthier   Illustrations : Gérard Frischeteau

QUÉBEC AMÉRIQUE Jeunesse

Catalogage avant publication de Bibliothèque et Archives Canada

Gauthier, Bertrand
Je suis Louna et je suis une artiste
(Album ; 2)
Pour enfants.
ISBN 2-7644-0417-4
I. Frischeteau, Gérard.   II. Titre.
PS8563.A847J44 2005   jC843'.54   C2005-940534-1
PS9563.A847J44 2005

 Conseil des Arts Canada Council
du Canada for the Arts

Nous reconnaissons l'aide financière du gouvernement du Canada
par l'entremise du Programme d'aide au développement de l'industrie
de l'édition (PADIÉ) pour nos activités d'édition.

Gouvernement du Québec – Programme de crédit d'impôt pour
l'édition de livres – Gestion SODEC.

Les Éditions Québec Amérique bénéficient du programme de subvention
globale du Conseil des Arts du Canada. Elles tiennent également à
remercier la SODEC pour son appui financier.

Québec Amérique
329, rue de la Commune Ouest, 3e étage
Montréal (Québec) H2Y 2E1
Téléphone : (514) 499-3000, télécopieur : (514) 499-3010

Dépôt légal : 3e trimestre 2005
Bibliothèque nationale du Québec
Bibliothèque nationale du Canada

Révision linguistique : Diane Martin
Conception graphique : Karine Raymond

Imprimé à Singapour.
10 9 8 7 6 5 4 3 2 1   09 08 07 06 05

À Rachel et à Florence F.

Je suis Louna,

la petite Louna,

et j'aime bien rêver

que je suis une artiste.

Quand je suis Louna,
la magicienne Louna,
je lance des confettis
et les change en colibris.

Quand je suis Louna,
la flûtiste Louna,
je fais valser les serpents
sous l'œil des éléphants.

Quand je suis Louna,
la comédienne Louna,
j'éclate en sanglots
et récolte des bravos.

Quand je suis Louna,
la peintre Louna,
je dessine un pharaon
avec un œil sur le front.

Quand je suis Louna,
la danseuse Louna,
j'imite le papillon
qui sort de son cocon.

Quand je suis Louna
la cinéaste Louna,
je tourne sur un plateau
envahi de corbeaux.

Quand je suis Louna,
la funambule Louna,
je prends le thé
sur un fil d'acier.

Quand je suis Louna,
la chanteuse Louna,
je grimpe aux rideaux
pour chanter plus haut.

Quand je suis Louna,
la photographe Louna,
je supplie les pandas
de sourire avec éclat.

Quand je suis Louna,
la mime Louna,
je deviens une statue
que les passants saluent.

Quand je suis Louna
la violoniste Louna,
j'invite chats et souris
à un grand bal de nuit.

Quand je suis Louna,

la conteuse Louna,

je vole en canot

au-dessus des bouleaux.

Je serai Louna,
la grande Louna,
et j'aime bien rêver
que je serai une artiste.